S0-BLM-715
DISCARD

Mati Morata

Mami, ¿verdad que María no es tonta?

(UNA HISTORIA SOBRE EL SÍNDROME DE DOWN)

Ilustraciones de Jesús García Vidal

Morata, Mati

Mami, ¿verdad que María no es tonta? / Mati Morata ; ilustrador Jesús García Vidal. – México: GEU de México ; España : GEU, 2012.
48 páginas : ilustraciones ; 20 x 21 cm. – (Colección literatura juvenil)

En la cubierta: Una historia sobre el síndrome de Down.
"Cuentos con corazón"
ISBN 978-607-726-019-6 (GEU de México)
ISNM 978-84-9915-698-9 (GEU España)

1. Síndrome de Down – Literatura infantil. 2. Niños – Libros y Lectura. 3. Niños con discapacidad – Literatura infantil I. García Vidal, Jesús, ilustrador. II. t. III. Serie.

028.5-scdd21 Biblioteca Nacional de México

Mami, ¿verdad que María no es tonta?
Autora: Mati Morata
Ilustrador: Jesús García Vidal
48 p. 20x21 cm
ISBN en México (1ª edición, 1ª impresión): 978-607-726-019-6
ISBN en España (3ª edición, 1ª impresión): 978-84-9915-698-9

Editorial GEU México, S. de R.L. de C.V.
C/ Montevideo 3211. Colonia Providencia.
44630 Guadalajara, Jalisco. MÉXICO
www.editorialgeu.com.mx
1ª Edición. 1ª impresión. Junio de 2012.
ISBN: 978-607-726-019-6

Camino de Ronda, 202 bajos, local 2
18003 Granada. ESPAÑA
www.editorialgeu.com
1ª Edición (2012, versión original). *Mami, ¿a que María no es tonta?* ISBN: 978-84-9915-667-5 / Depósito legal: GR 1536-2012
2ª Edición (2012, adaptación a Colombia). *Mami, ¿a que María no es tonta?* ISBN: 978-84-9915-695-8 / Depósito legal: GR 1956-2012
3ª Edición (2012, adaptación a México, coeditada). ISBN: 978-84-9915-698-9 / Depósito legal: GR 1981-2012

Editorial GEU México S. de R.L. de C.V. está afiliado a la Cámara Nacional de la Industria Editorial Mexicana. Reg. núm. 3624

Impreso en Lozano Impresores, S.L. en junio de 2012 con un tiraje de 500 ejemplares
Camino de Ronda, 202 bajos, local 2
18003 Granada. ESPAÑA

Mati Morata

Mami, ¿verdad que María no es tonta?

(UNA HISTORIA SOBRE EL SÍNDROME DE DOWN)

Ilustraciones de Jesús García Vidal

El jueves Mario regresó a casa muy triste: en el recreo, Óscar se había atrevido a insultar a su hermana y se había enojado tanto que le había dicho que ya no quería ser su amigo.

–Óscar llamó tonta a mi hermana. Dice que, aunque tiene cinco años, no sabe hablar bien y que se cae muchas veces cuando corre. Pero yo le he dicho que más tonto será él –concluyó Mario.

En ese momento, el niño estaba tan desconsolado y triste, que acabó hecho un mar de lágrimas y mocos sin control. Al instante, su mamá se acercó y, con todo el cariño del mundo, le secó las lágrimas y le limpió los mocos.

Después, con movimientos cariñosos, lo abrazó muy fuerte y se sentó en la cama, poniéndolo en su regazo y recostando su cabeza sobre su pecho.

De este modo, el niño se sintió protegido y su mamá consiguió que se calmara.

Aunque Mario había dejado de llorar, tenía tanta tristeza, que su corazón hubiera podido seguir llorando otro buen rato.

Su mamá lo sabía, pero estaba dispuesta a dejarle sin lágrimas incluso el corazón.

En eso, era una experta, pues había tenido que secar muchos llantos, propios y ajenos, y aprender a cambiarlos por sonrisas y esperanzas.

–Mami, ¿verdad que María no es tonta? –preguntó el niño entre sollozos.

–Claro que no, mi amor; tu hermana es una niña muy lista y muy valiente.

Su mamá se dio cuenta de que esto no era suficiente, por lo que tenía que darle a su hijo más explicaciones.

–Hoy te voy a contar por qué todavía no habla bien y por qué se cae cuando corre. María tiene síndrome de Down y, para que lo comprendas bien, te voy a poner un ejemplo; tú ya tienes siete años y lo podrás entender.

–A ver, mamá, explícamelo –continuó Mario sin mostrar duda alguna en su deseo.

–Mira, Mario, ¿recuerdas cuando aprendiste a andar en bici?

–Sí, mamá; aprendí el año pasado.

–Pero no aprendiste solo, ¿verdad? Durante algunos días, para que no te cayeras de la bici, tu papá y yo te deteníamos del asiento. Así lo hicimos muchas veces, hasta que un día dejaste de necesitar nuestra ayuda; entonces, volabas por el jardín de la casa como una bala –explicó acompañando su voz con un tono de alegría y una mirada reluciente a su hijo –. Decías que eras un cohete. ¿Te acuerdas, mi amor?

–Sí, es verdad. Al principio, me tenías que detener –admitió Mario dejándose sorprender ligeramente, pues la idea le gustaba.

–Imagínate que la vida de María –continuó su mamá– es algo parecido a aprender a andar en bici.

Primero, la tenemos que ayudar como a todo el mundo, si bien un poquito más, porque las ruedas de su bici no son tan grandes como las de los demás y su asiento está más alto, así que a María le cuesta más aprender a andar en bici. ¿Lo entiendes, cariño? Lo que quiero decir es que la naturaleza le ha dado una bici más difícil de conducir.

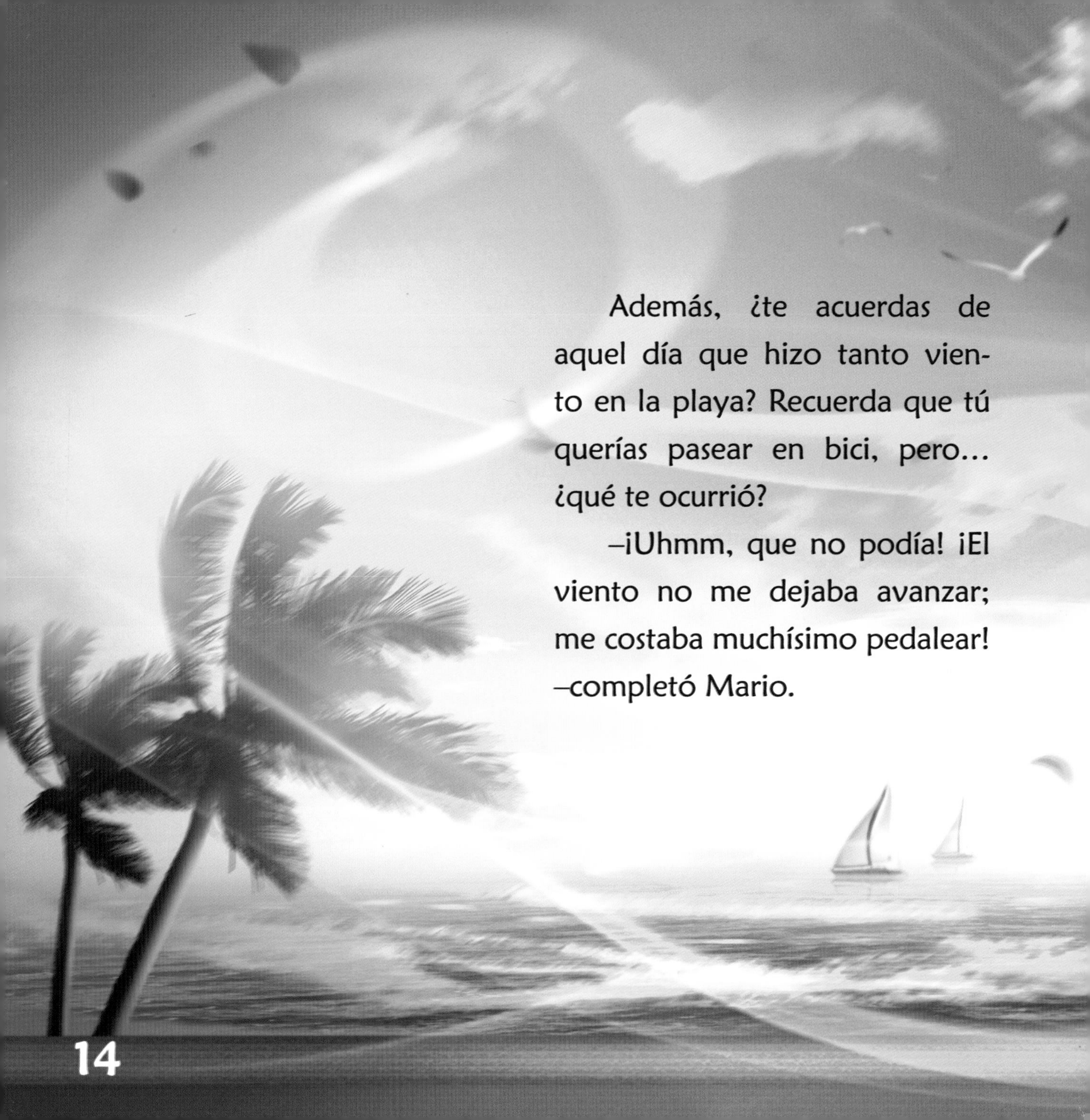

Además, ¿te acuerdas de aquel día que hizo tanto viento en la playa? Recuerda que tú querías pasear en bici, pero... ¿qué te ocurrió?

–¡Uhmm, que no podía! ¡El viento no me dejaba avanzar; me costaba muchísimo pedalear! –completó Mario.

–Eso mismo es lo que le pasa a María cuando hace cosas y aprende; es como si tuviera que andar en su bici con viento, que le hace ir más despacio y, a veces, cuando es muy fuerte, incluso logra tirarla de la bici. María es un poquito más lenta en todo y tiene que empezar a pedalear antes que los demás para, al final, llegar al mismo lugar que ellos. Por eso, empezó a ir al colegio mucho antes que los demás niños, desde que apenas tenía unos meses.

Su mamá tomó al niño de la mano y, juntos, salieron al jardín que rodeaba la casa. Allí, apoyada en la pared, estaba la bicicleta de Mario. Entonces le dijo:

–Ahora, y para que lo entiendas de verdad, vamos a hacer un experimento: súbete a la bici e intenta llegar hasta la puerta de entrada y volver; eso sí, lo más despacio que puedas.

Mario se subió y empezó a pedalear lo más despacio que podía, pero no conseguía avanzar mucho sin tener que poner los dos pies en el suelo.

–¡Mamá, es muy difícil ir despacio; pierdo el equilibrio! –refunfuñó el niño, poniendo los pies en el suelo repetidas veces.

–Muy bien, Mario, ahora sé que lo entendiste perfectamente. A veces, ir lento es muy difícil, incluso más difícil que ir rápido. Pero, cariño, ¿te das cuenta de que también llegaste al final? Y, como ves, María llegará también a su meta, sobre todo con nuestra ayuda y nuestro amor, que le darán fuerzas en su lucha contra el viento.

María y Mario
Papá y Mamá

–Es verdad, mami. A María le cuesta mucho aprender a hablar, a escribir, a leer, y no sabe jugar conmigo a la lotería, pero hay cosas que sabe hacer mejor que nadie: colorea mis dibujos como una auténtica maestra.

Y, sobre
todo, es la única
hermana del mundo que
sabe dar besos de sabores, esos que tanto me gustan, en especial los de chocolate cuando come muchos, y es la hermana que me dice cosas bonitas cada mañana y a la que más quiero del Universo.

M
M
A
R
i
A

Así que mi hermana no solo no es tonta, sino que es la mejor del mundo –concluyó Mario, advirtiendo una mirada maravillada y, al mismo tiempo, tranquilizadora en su mamá.

Dejaron la bicicleta en la entrada de la casa y regresaron a su cuarto. Su mamá lo volvió a sentar en su regazo. Parecía muy calmado.

En ese momento, se abrió la puerta. María volvía del colegio en los hombros de su papá.

Cuando entró y los vio abrazados, se bajó y comenzó a correr; pero, esta vez, no se cayó, sino que se tiró encima de ellos y los llenó de besos con sabor a paleta de fresa.

Después de un rato de caricias amorosas entre los tres, su mamá se levantó y los dejó acostados en la alfombra en una alegre guerra de cosquillas.

Antes de salir del cuarto del niño, se giró, los miró y les devolvió un breve suspiro acompañado de un ligero encogimiento de hombros. Mario lo había entendido todo perfectamente, y su marido y ella habían hecho un buen trabajo: tenían los dos mejores hijos del mundo.

fin

Aplicaciones didácticas

Maria

Actividades de anticipación, comprensión y expresión

1 Es momento de pensar y hablar sobre el cuento. Para empezar, cada uno responderá, oralmente o en su cuaderno, a estas sencillas preguntas:

a) ¿Qué te sugiere el título "Mami, ¿verdad que María no es tonta?"?
b) ¿De qué crees que va a tratar el cuento?
c) ¿Conoces algún caso parecido entre tus amigos, familia, vecinos... o que lo hayas visto en algún programa de TV o en el cine?
d) Escribe, en tu cuaderno, de qué trata el cuento.
f) ¿Qué le pasa a María? Es distinta, ¿verdad? ¿Por qué?
g) Escribe, en tu cuaderno, tres adjetivos para definir su forma de ser. A continuación, en grupos reducidos, cuenten[2] a sus compañeros si conocen a alguien así y, finalmente, preséntenlo a todo el grupo, describiendo cómo se comporta y cuáles son sus gustos y preferencias.
h) ¿Cómo se llama su síndrome?

2 Busca, en el diccionario, y/o pregunta a tu profesor/a y copia, en tu cuaderno, aquellas palabras que te resulten de difícil comprensión y que están relacionadas con la historia de María: síndrome, integración, discriminación, tolerancia, discapacidad, inclusión[3] y deficiencia.

3 Quizá tengas dificultades para hacer determinadas cosas. Pero eso no te convierte en un ser menos valioso. ¿Por qué? Escribe la respuesta en tu cuaderno y, a continuación, dala a conocer a tus compañeros en voz alta.

4 Explica al grupo el ejemplo de andar en bicicleta que le cuenta la mamá de María a su hijo. ¿Qué mensaje pretende transmitirle con él? ¿Qué otro ejemplo añadirías tú?

5 Inicia un breve glosario de las palabras nuevas que vayas encontrando a lo largo de todo tu trabajo a partir de la lectura del cuento.

6 Describe al personaje o personajes principales utilizando, por lo menos, cinco adjetivos diferentes. De este modo, construyes su personalidad a partir de lo que el personaje hace y dice en el cuento. Puedes comentar, por ejemplo, si es extrovertido, reflexivo, simpático, optimista, solidario, egoísta, etc.

---

[1]*Nota para las aplicaciones didácticas.* No se pretende fomentar en los alumnos conocimientos gramaticales, sino la comunicación en el aula y favorecer el desarrollo de las habilidades necesarias para una interacción eficaz, por lo que se pone el acento en la oralidad, la creatividad y un juicio crítico. Conversar, debatir, dialogar en las aulas es tarea necesaria para aprender a hacer un uso correcto del lenguaje, adecuado a las diferentes situaciones peculiares que vive el alumno y para saber distinguir los usos correctos del idioma de los abusivos y discriminatorios.

[2]Convendría alternar la expresión oral con la escrita siempre, porque, en definitiva, se trata de contribuir, mediante el fomento del diálogo en las aulas, al necesario desarrollo del pensamiento crítico de los alumnos como parte fundamental de su competencia comunicativa para una convivencia efectiva en la sociedad del siglo XXI, cuya educación se plantea la necesidad de que, desde las aulas, se fomenten no solo conocimientos, sino también conductas que les permitan afrontar los retos, los cambios y las transformaciones que el devenir de la sociedad les depare en el futuro (Informe Delors).

[3]El objetivo de una educación inclusiva es lograr la mejora de la educación a todos los alumnos mediante una respuesta ajustada a las necesidades y características de cada uno de ellos. Conocer, por tanto, ayuda a los alumnos a valorar el potencial de aquellos compañeros que, por diversas razones, tienen dificultades para aprender.

Taller de creatividad

1 Realiza un dibujo que traduzca las emociones que la historia de María te haya causado. Después, a modo de antología, se pueden recopilar todos los del grupo en un pequeño y emotivo libro cuyas imágenes se agrupen por afinidad de emociones en capítulos[4].

2 Sería interesante que, en el pizarrón o en una cartulina[5] y por grupos, escribieran "Motivos para no rechazar a un compañero/a que tenga dificultades para aprender"[6] . Por orden alfabético, cada alumno expondrá tres ejemplos de acciones que le cueste mucho hacer y añadirá motivos por los que cree que a María le cuesta realizar unas más que otras.

3 Resume el mensaje del cuento en una sola oración, como si fuera el eslogan de una campaña publicitaria. Ej.: "Para ser feliz, hay que compartir".

4 Propón un título diferente y un nuevo dibujo para la portada.

5 Con las escenas principales del cuento:

a) Elabora un cómic[7] breve insertando, en las viñetas, las imágenes y diálogos que esas escenas te sugieran, o
b) Acompaña cada viñeta con una rima de dos versos[8] alusiva a la imagen que se reproduce en el cuento.

6 Prepara una lectura en voz alta para tus compañeros de modo que pongas voces diferentes a cada personaje y te atrevas a darle emoción a las escenas y diálogos cruciales.

7 Antes de leer el cuento, y solo a partir del título, inventa tu propio relato breve. Después, compártelo con tus compañeros. De este modo, descubrirás que tú también eres capaz de hacerlo.

8 ¿Por qué no grabar un vídeo? Si te atreves, graba esa lectura en voz alta, y cuida mucho las voces, los cambios de entonación, las emociones y los sentimientos que se transmiten. Como telón de fondo de la dramatización, puedes pintar un decorado para visualizar las escenas en la grabación.

9 Si tú fueras protagonista del cuento:

a) ¿Cómo se titularía?
b) ¿De qué trataría?
c) ¿Cómo sería el final: triste, abierto, ambiguo, irremediablemente real, irresistiblemente feliz? ¿Por qué?

10 Escribe una carta a uno de los personajes del cuento donde expongas tu opinión sobre su experiencia. No olvides el encabezado y la despedida de tu carta.

11 En grupos, creen una frase atractiva, interesante, contundente, convincente... como respuesta para cuando alguien le diga a Mario que María es tonta. Esa frase, finalmente, deberá hacer reflexionar a quien la oiga.

12 Dado que sabes que María es especialista en dar besos de sabores y es la niña más cariñosa del mundo, intenta pensar en ella como protagonista de uno de los siguientes cuentos clásicos y recrea la historia con originalidad tomando por títulos estas insólitas propuestas: "CaperuMaríaRoja y el lobo feroz", "BlancaMaría y los siete hermanitos", "La Cenicienta María y el príncipe", "María Pan y el mundo de los niños que comen dulces".

13 En tu cuaderno, añade una imagen que represente un mundo justo para María. Al pie de la misma, escribe un buen slogan que, con brevedad y fuerza persuasiva, invite a vivir en ese mundo o facilitar su existencia. No te olvides de poner todos los colores que María merece.

---

[4] Acercar al alumno a la escritura a través de las emociones y los sentimientos que las palabras suscitan es ofrecer al alumno una vía fácil, sencilla y potente de acercamiento al mundo para conocerlo. Y no hemos de olvidar que las lecturas, a estas edades, han de servir, además de para divertir, para formar la lengua y la personalidad de los alumnos. Si quieres darle un formato de libro digital, puedes ver www.issuu.com o www.authorstream.com, entre otros.

[5] Para editar un póster digital original y creativo, ver www.glogster.com, de acceso gratuito.

[6] Ayudar a los alumnos/as a reflexionar sobre quienes encuentran más o menos dificultades para aprender les puede ayudar a comprenderlos y, por ende, a eliminar etiquetas que, probablemente, solo alimenten situaciones de marginación no deseables que hay que ir superando.

[7] Puede ser una buena ocasión para poner en práctica conocimientos de otras disciplinas, sobre todo, los relativos al lenguaje de la imagen, con planos, encuadres y todos aquellos recursos de la retórica de la imagen que fácilmente reconocen los alumnos en comics, como onomatopeyas, líneas cinéticas, metáforas visuales, diálogos...

[8] Sin duda, la seriedad de los temas no está peleada con la aplicación del humor, de la ironía, que puedan desatar la creatividad del alumno. Y sería interesante que cualquiera de las actividades realizadas por los alumnos tuviera difusión en pequeñas revistas del salón o del centro educativo (impresas o digitales) para que adquiriera la dimensión comunicativa y socializadora consustancial al proceso de enseñanza-aprendizaje.

Taller de vivencias y reflexión

1 El que tengamos dificultades para hacer algo, ¿nos invalida para esa actividad? ¿Afecta a nuestra dignidad como persona? Piensa la respuesta y aporta un par de argumentos en tu cuaderno. No olvides añadir aquellos otros de tus compañeros que te parezcan más interesantes.

2 Si tú tuvieras esa característica, ¿cómo te gustaría ser tratado? Escribe tu respuesta en una hoja en blanco y, a continuación, intercámbialo con otros compañeros para saber cómo les gustaría a los demás ser tratados en ese caso. ¿Encuentras coincidencias? Anótalas y coméntalas con el grupo.

3 ¿Has conseguido superar algunas dificultades y hacer cosas que, al principio, te parecían difíciles o que te han costado más que a los demás? Piensa y escribe, al menos, dos ejemplos en tu cuaderno y, después, ponlos en común con tus compañeros.

4 ¿Crees que es posible integrar en la sociedad a personas con esta característica? Propón tres alternativas. ¿Qué obstáculos pueden encontrar?

5 Escribe, por lo menos, dos pensamientos que te haya sugerido la lectura.

6 Selecciona, de entre las siguientes, la principal emoción que te haya causado el cuento: ternura, afinidad, tristeza, añoranza, esperanza, felicidad, desasosiego, hartazgo, pesadez, aburrimiento, estrés, nerviosismo, tranquilidad...

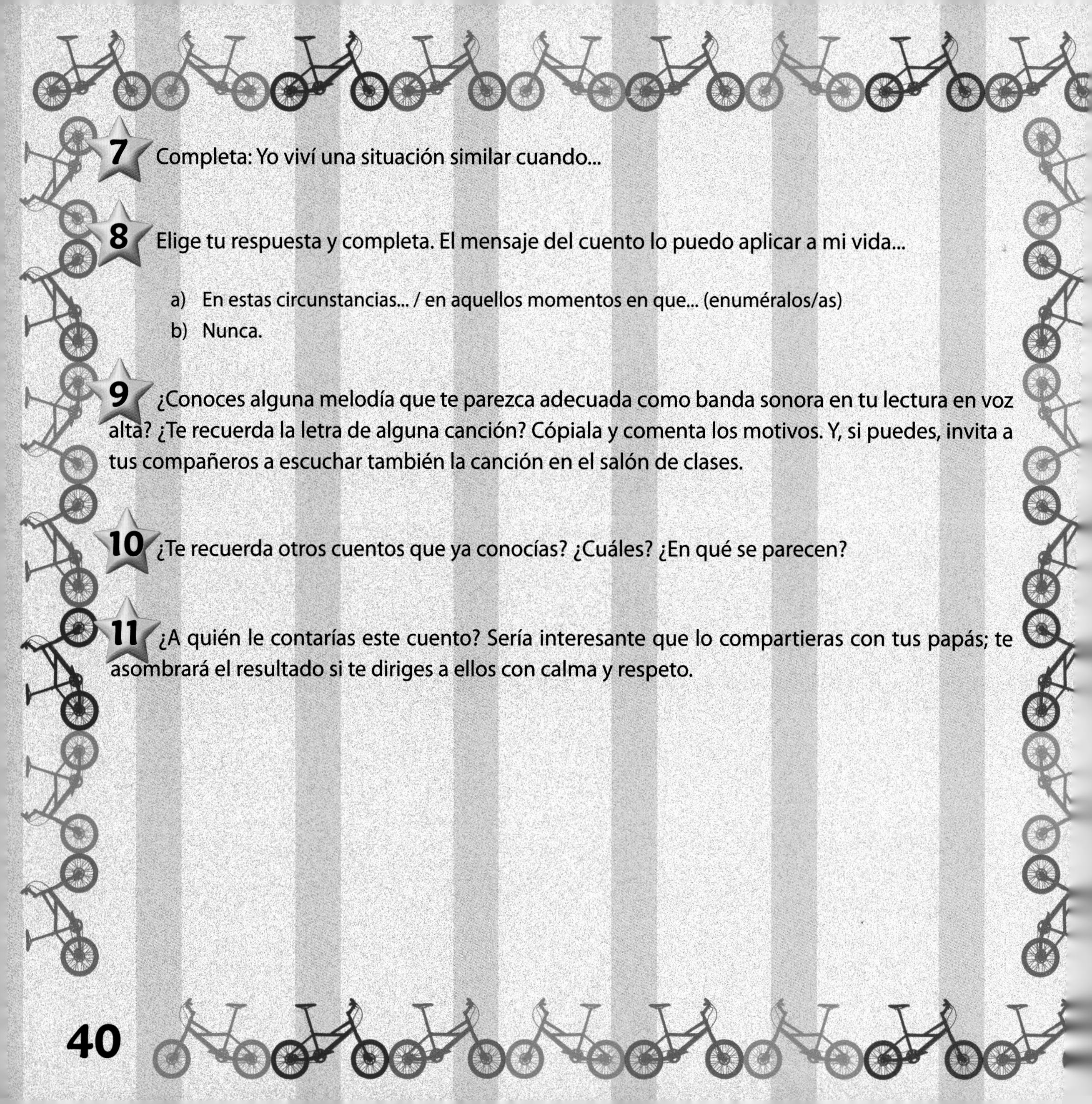

7 Completa: Yo viví una situación similar cuando...

8 Elige tu respuesta y completa. El mensaje del cuento lo puedo aplicar a mi vida...

a) En estas circunstancias... / en aquellos momentos en que... (enuméralos/as)
b) Nunca.

9 ¿Conoces alguna melodía que te parezca adecuada como banda sonora en tu lectura en voz alta? ¿Te recuerda la letra de alguna canción? Cópiala y comenta los motivos. Y, si puedes, invita a tus compañeros a escuchar también la canción en el salón de clases.

10 ¿Te recuerda otros cuentos que ya conocías? ¿Cuáles? ¿En qué se parecen?

11 ¿A quién le contarías este cuento? Sería interesante que lo compartieras con tus papás; te asombrará el resultado si te diriges a ellos con calma y respeto.

María

Taller de investigación

1 Investiguen, en pequeños grupos (máximo 4 personas), sobre las características propias de una persona con *síndrome de Down*, sus causas y sus consecuencias. Realicen un esquema, en una cartulina o en una presentación en Power point, y expónganlo todo el grupo.

2 ¿Conoces alguna obra literaria que trate un tema similar? Quizá conozcas, por ejemplo, *El Síndrome de Mozart*, de Gonzalo Moure, que trata de una enfermedad extraña conocida como síndrome de Williams. Busca y añade más libros a tu colección, y léelos; te ayudarán a conocer más y mejor a quienes se muestran diferentes y necesitan de nuestra ayuda para, sobre todo, mejorar su calidad de vida si la sociedad les permite desarrollar su potencial.

3 ¿Conoces a alguna persona que tenga este u otro síndrome y haya llegado a convertirse en un personaje famoso gracias a su profesión o sus habilidades? Busca en Internet, por lo menos, un ejemplo.

4 Investiguen, en internet, la definición de los siguientes términos y lleven a la clase la información más relevante copiada en su cuaderno: *tetraplejia*, *síndrome de Down*, *sordera*, déficit *de atención*, *síndrome de Williams*, *problemas de aprendizaje*, *dislexia*, *síndrome de Asperger*, *dislalia*, *parálisis cerebral*, *autismo* y *síndrome de Florencia*.

COLOUR CERA

María

5 La siguiente lista recoge una serie de personajes famosos que padecían alguna de las deficiencias, discapacidades y/o enfermedades anteriores. Copia el cuadro en tu cuaderno y complétalo con la información requerida (no olvides buscar y añadir la foto para identificarlo):

PERSONAJE	FAMOSO POR	CARACTERÍSTICA
Christopher Reeve		
Chris Burke		
Albert Einstein		
Thomas Edison		
Walt Disney		
Tom Cruise		
Marilyn Monroe		
Stephen Hopkins		

6 Busquen, en internet, la dirección de correo electrónico de una asociación de síndrome Down para enviarle las conclusiones de sus trabajos después de trabajar el tema. Sería interesante que les informaran de qué cosas han descubierto acerca de estas personas especiales y les envíen escaneados sus dibujos. Seguro que hay muchas *Marías* y *Marios* en el mundo que los recibirán con una sonrisa de colores.

Taller de fomento de la reflexión y oralidad / diálogo respetuoso

1 La conversación[9].

En equipos, se lee y se pone en común la vivencia de los personajes del cuento, aportando el conocimiento personal que se tenga sobre el tema planteado en el mismo. Se aportarán las experiencias personales con conocidos o familias que cuenten con personas con síndrome de Down (o cualquiera de las enfermedades, trastornos y discapacidades citados con anterioridad) o conocimientos recogidos en los medios de comunicación, revistas o documentales de internet. Se trata de que todos participen mostrando su experiencia, conocimientos y su comprensión del tema y, sobre todo, sean capaces de exteriorizar sus propios sentimientos, valores, transmitir ideas, adaptarse al entorno y hacerse entender[10]. Solo entonces serán capaces de mostrar actitudes más solidarias, críticas y beneficiosas para todos.

2 El debate.

En equipos, se investiga todo lo relativo a este síndrome que afecta a la protagonista del cuento: en qué consiste, cómo viven, cómo sienten, cómo se relacionan, cómo trabajan, etc. los niños y, en general, las personas que experimentan esta característica en su vida. Para esto, podemos buscar documentales en internet, los medios de comunicación o realizar y grabar entrevistas a familiares o personas expertas en el tema.

Preguntas para un debate. Se pueden utilizar algunas de las preguntas a las que ya han contestado al comienzo de las actividades y/o aportar otras nuevas que faciliten la fluidez del debate: ¿habría que tratar a las personas con síndrome de Down de manera diferente? ¿Cuándo? ¿En qué casos?

¿Crees que es posible integrar en la sociedad a personas con esta característica? ¿Y en los centros educativos es posible o fácil su integración? ¿Qué obstáculos pueden encontrar? Enumera y razona ventajas e inconvenientes.

Divididos en dos grupos, que representen posturas contrarias (integración sí - integración no), se inicia el debate con breves exposiciones individuales de la postura que cada uno defiende, siendo el moderador quien da paso a cada una de las intervenciones y facilita el cruce de preguntas y respuestas. Las interrupciones dan viveza al debate si se hacen de manera respetuosa. Finalmente, se dedican unos minutos a ofrecer un resumen de lo expuesto.

Como preparación, proyecta alguna de las películas o documentales más recientes sobre el tema de la discriminación a personas con alguna discapacidad o con características especiales (ej.: "Yo, también", "Yo soy Sam", "Mi nombre es radio", "Mi nombre es Khan", entre otras), preferentemente alguna en la que aparezca una persona con síndrome de Down. Comenta con tus compañeros:

a) En qué sentido todos tenemos los mismos derechos, todos somos personas y todos tenemos deficiencias.
b) Cómo es la comunicación con ellos.
c) Si reciben ayuda de la sociedad para mejorar.
d) Qué encuentran de interesante en el personaje y por qué o cómo contribuirías, personalmente, a facilitar su vida o evitar los obstáculos de todo tipo (incomprensión, desconocimiento, insolidaridad; físicos, económicos...) que encuentran.

---

[9]La grabación en vídeo (de la conversación en el aula) posibilita que, posteriormente, sirva de muestra para trabajar tanto aspectos afectivos como los relativos a los rasgos de expresión de los alumnos y la cortesía como elemento clave de la interacción en el aula.

[10]La conversación distendida sobre el tema tratado permite ir descubriendo, en su lenguaje y sus gestos, actitudes susceptibles de tratos discriminatorios u otras impositivas, más o menos violentas. Lo cual orienta futuras actuaciones con el grupo y concede importancia a la lengua oral.

Taller de reflexión y crítica del cuento

1 Completa:

a) Yo comparto la opinión del cuento porque...
b) No estoy de acuerdo con el mensaje que transmite el cuento porque...
c) Lo que más me gustó...
d) Lo que menos me gustó...
e) Yo cambiaría...

2 Copia esa cita (una oración, un párrafo) que guardarías entre tus tesoros o en tu agenda escolar y que emplearías siempre que tuvieras ocasión.

3 Escribe y dirige una carta a la autora (matimorata@gmail.com) contándole tu impresión personal sobre el libro, si te ayudó a formarte una opinión sobre el tema planteado, si te hizo cambiar de opinión, si te sirvió para conocer y pensar que hay que hacerle la vida más fácil o menos complicada a quienes más necesitan de nuestra ayuda, si te resultó más o menos entretenido, divertido, ameno y conectado a tu experiencias particulares reales y cotidianas. No olvides enviarle una foto tuya; las palabras y la imagen que demos construyen nuestra personalidad, nuestro escaparate ante el mundo.

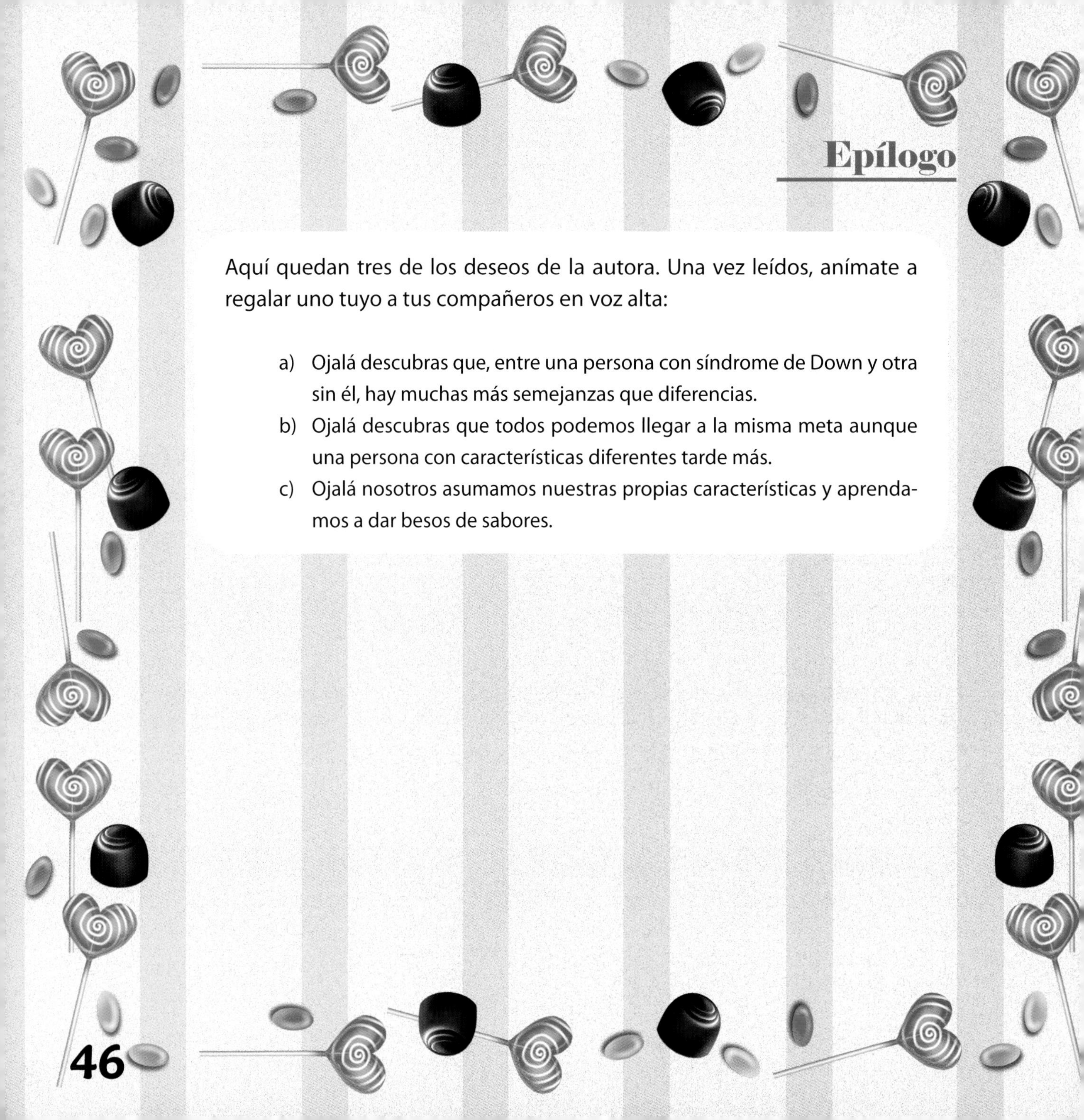

Epílogo

Aquí quedan tres de los deseos de la autora. Una vez leídos, anímate a regalar uno tuyo a tus compañeros en voz alta:

a) Ojalá descubras que, entre una persona con síndrome de Down y otra sin él, hay muchas más semejanzas que diferencias.
b) Ojalá descubras que todos podemos llegar a la misma meta aunque una persona con características diferentes tarde más.
c) Ojalá nosotros asumamos nuestras propias características y aprendamos a dar besos de sabores.

Respuestas para la tabla de la página 42

PERSONAJE	FAMOSO POR	CARACTERÍSTICA
Christopher Reeve	Actor "Superman"	Tetraplejia
Chris Burke	Músico de un grupo	Síndrome de Down
Albert Einstein	Científico (teoría de la relatividad)	Dislexia
Thomas Edison	Inventor de la electricidad	Sordera, déficit de atención y problemas de aprendizaje
Walt Disney	Creador de las películas y el universo Disney	Problemas de aprendizaje
Tom Cruise	Actor	Dislexia
Marilyn Monroe	Actriz	Problemas en el habla
Stephen Hopkins	Científico	Parálisis cerebral

M
A
R
i
A